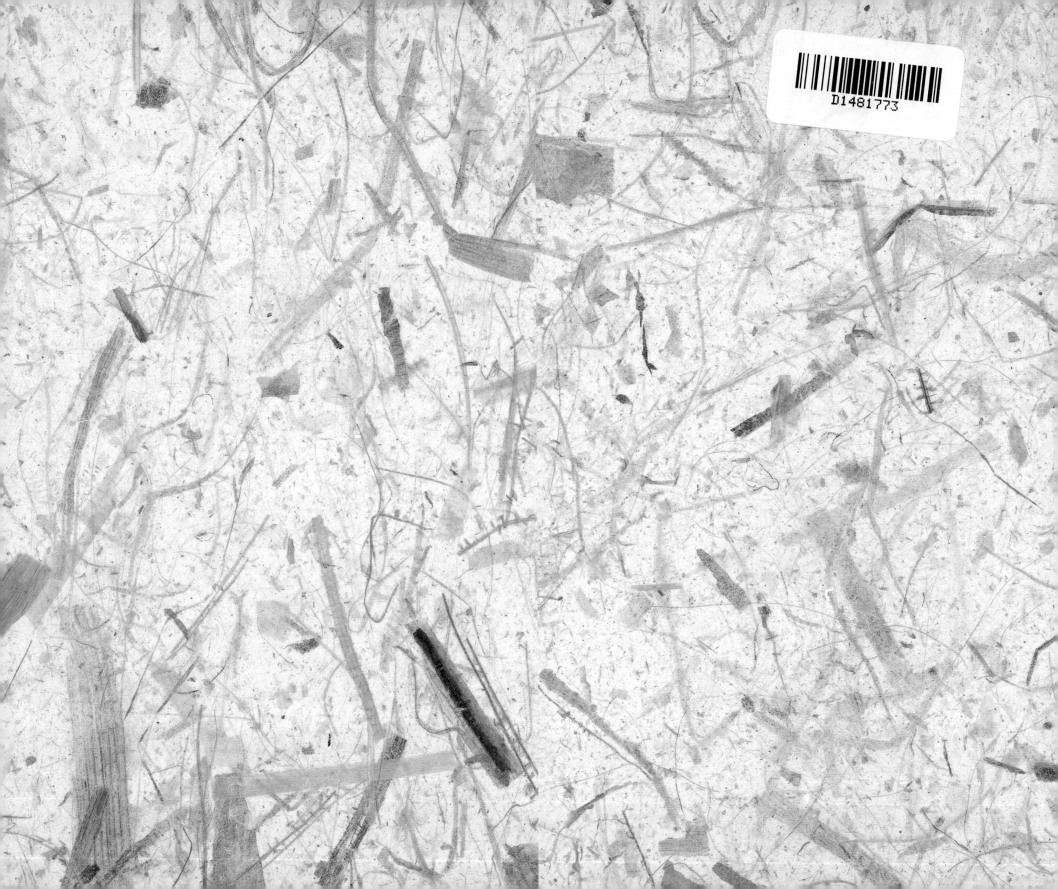

À Mason et Jack
—I. C. S.

À Henry Schwartz
—B. L.

Un livre d'images minedition

© 2012 minedition france, pour l'édition en langue française
© 2012 L. C. Springman pour le texte
© 2012 Brian Lies pour les illustrations
Publié après accord avec Houghton Mifflin Harcourt Publishing Company
Titre original : "More"
Mise en page du texte à partir d'un lettrage entièrement fait à la main.
Tous droits réservés. Imprimé en Chine
Loi n° 49-956 du 16 juillet 1949 sur les publications destinées à la jeunesse
Dépôt légal : 3ème trimestre 2012
ISSN 1958-086X
ISBN 978-2-35413-173-9

Deuxième tirage 2014

Pour plus d'informations, retrouvez et feuilletez tous nos ouvrages sur le site : www.minedition.com

PLUS

I. C. Springman • Illustré par Brian Lies

et traduit par Julie Duteil

minedition

Rien.

quelque chose.

Autre chose.

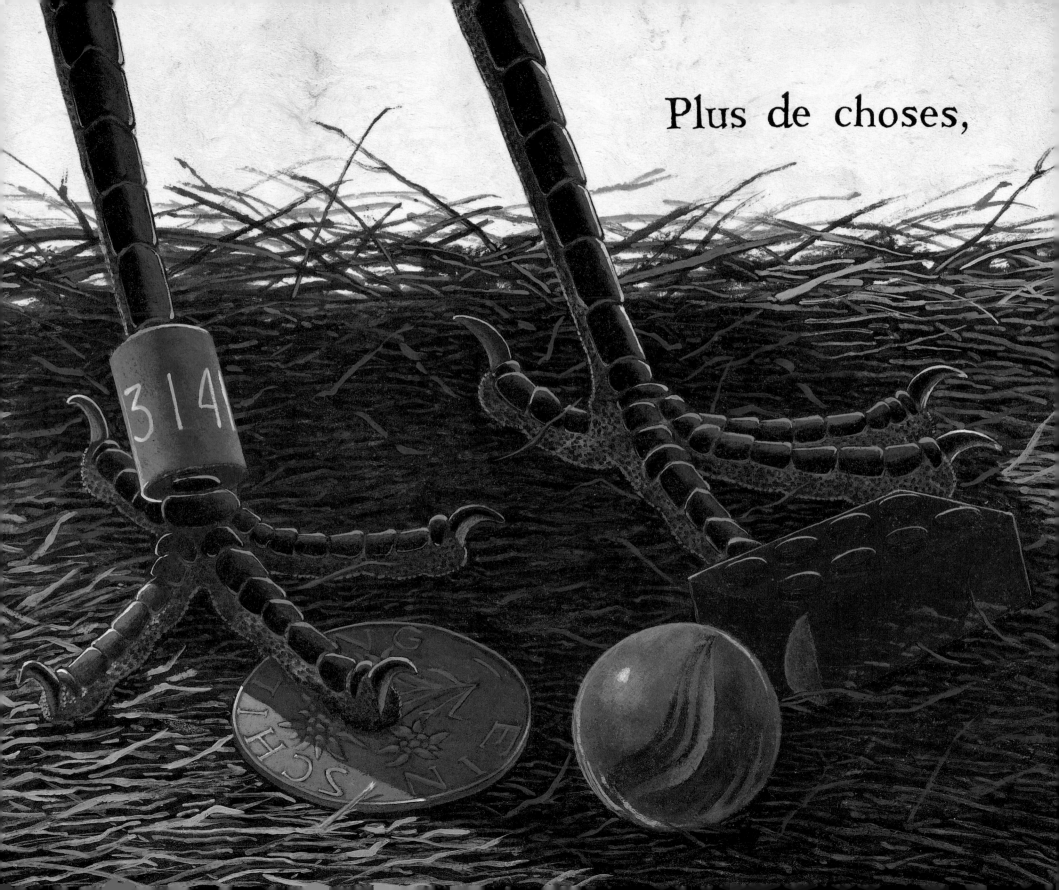

Plus de choses,

Plus

et plus

et encore plus...

Beaucoup.

Plein.

Un peu trop.

Beaucoup trop.

De moins en moins.

Beaucoup moins.

Pas tant que ça.

Pas vraiment beaucoup. Assez?

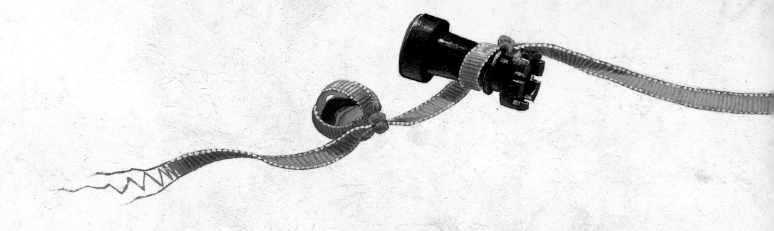

Oui,
assez !

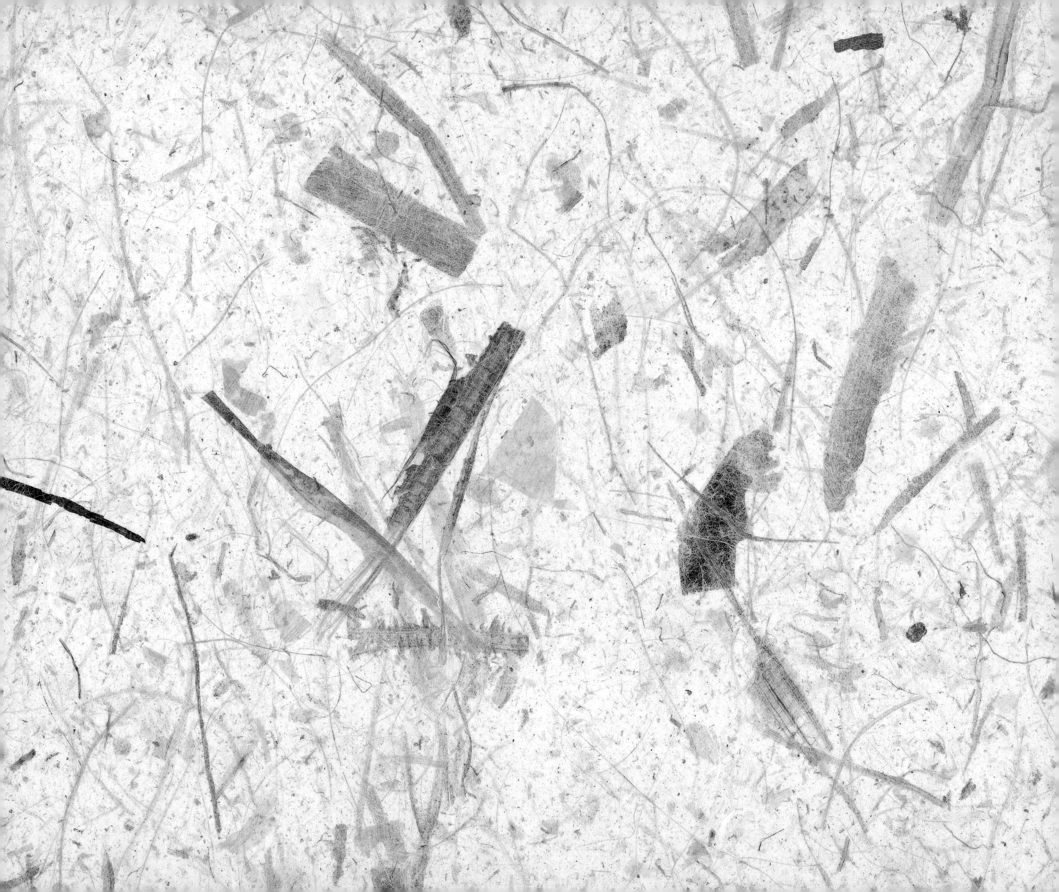